"나는 화재조사관이다."

# 화재조사관의 낙서장(Ⅲ)

나는 대한민국 소방공무원이다.

# <목 차>

# 들어가는 말

안전은 관심이고, 실천이며 행복입니다.

우리가 어느 날 마주친 재난은 우리가 소홀히 보낸 지난 시간에 대한 보복입니다.

인생은 준비이고 대응입니다.
결과가 실패라면 실패를 준비한 것이고,
성공이라면 성공을 준비한 것입니다.

인생은 성공을 준비하고 그것을 실천하는 것입니다.
성공을 준비하고, 목표를 향해 노력한다는 것은 아름다움입니다.

작은 목표를 세우고 출발하여 하나씩 이루는 것은 행복입니다.
나는 불가능했던 것들을 하나둘 계획하고 이루면서 도전합니다.

태어나 성장하고, 학습하고, 계획하고, 실천하며, 목표를 이룬다.
세상을 여행하며 고난과 역경도, 성공과 행복도 있습니다.

나는 못할 것 같았던 일들을 하나둘 이루고 노력하고 있습니다.
해보니 만족감도 성취감도 있습니다.


이 글을 읽는 모든 분 행복하고 늘 건승하시길 기원합니다.

# 물방울

초록 풀잎 위에 살며시 앉아
풀잎을 더 푸르게 하고
잠시 머물지만 영롱함을 보여주네

초록 미끄럼을 타며 미소 짓네
슬퍼도 내색하지 않고 밝은 미소를 짓네
밝은 얼굴이 너무도 맑아 해님이 질투하네

물방울은 이슬과 같은 자태지만
이슬은 은하수 아름다움을 전하며 아침에 떠나고
물방울은 깨어있는 시간 언제나 함께할 수 있다네

맑음은 늘 함께하고 보여주며 나눈다
옥구슬처럼 아름답고 수정처럼 투명한 물방울
방울방울 맺혀 사랑처럼 순수함으로 빛난다

방울이 맺혀 내를 이루고 냇물이 호수 되어
잔잔하게 평온과 맑은 행복을 보여주며
작으나 작지 않고 크나크게 드러내지 않는 물방울

## 바람과 나

바람은 자유롭지만, 자유가 없다
나는 작은 가슴으로 세상 모든 것을 품는다

바람은 나뭇가지를 흔들지만 머물지 못한다
나는 힘차게 태어나 세상에 머물며 꿈을 펼친다

바람은 방랑자처럼 여행하며 사랑을 전한다
나는 이 세상 망부석이 되어 행복을 굳게 지킨다

바람은 멈춤을 모르는 영원한 마라톤 선수이다
나는 스치는 바람을 가슴 가득 솜사탕처럼 품는다

바람은 꽃잎을 흔들어 깨우지만 머물지 못한다
나는 살며시 손을 흔들어 아침을 깨워 함께한다

바람이 온 것을 나는 온몸으로 느끼며 알고 있다
바람은 존재를 알릴 뿐 실체를 보여주지 않는다

바람은 나처럼 수줍음을 품고 느낌을 주지만
있는 듯 없는 듯 드러내지 않으며 살며시 살며시......

## 아들의 편지

아빠 나 오늘 술 마시고 늦게 들어가:)
솔직히 내가 술 마시고 담배 피우고 다니는 거
아빠가 안 좋아할 거라는 거 알아:) 근데 성인이 되고 보니까
놀고 싶어지고 즐기고 싶어:)

솔직히 말하면 아빠가 주는 20만 원 턱없이 부족해.
연습실비랑 교통비 하면 2만 원 밖에 남지 않아,
하지만 아빠가 나 포함 지수 누나 은수 누나도 용돈 주다 보니 얼
마나 힘든지 알아:) 이해해서 그러기에 더더욱 미안해서
더더욱 용돈 올려달라고 말 못 하겠어.

솔직히 말하면 나 진짜 힘들어. 아빠한테 고집부려가면서 췄던 춤
이 정말 먹고살 수 있을 정도로 잘될까 싶어.
어디까지나 미련한 선택 일수도 있지만
아빠는 나를 하나밖에 없는 아들로서 이해해 주길 바래:)

꼭 내가 성공해서 아빠가 육아하느라 썼던 돈들, 다 갚을 거야. 무
슨 수를 쓰든 다 갚을 거야. 그러니까 아빠, 나 믿고 지원 좀 해줬
으면 좋겠어. 용돈도 올려줬으면 해.

한 번도 저는 아빠가 저희 아빠로서 부끄러웠던 적이 없어요.
아빠 사랑해요
아빠한테 부끄럽지 않은 아들 되겠단 약속 꼭 지킬게요:)
저는 아빠가 한순간이라도 부끄러웠던 적이 없어요:)
저도 커서 아빠 같은 아빠가 될 거에요

# 술

작은 잔에 한가득 넘쳐흐르는 정이 그립다
살랑살랑 흔들리는 술은 넘치는 행복이어라

오늘은 내가 너를 취했건만 너는 나를 흔드는구나
네가 나의 판단을 흐리게 하나 난 흔들리지 않는다

너는 나를 우습게 보지만 너는 내 안에 의지할 뿐
네가 나를 이기려 해도 나는 너를 내 안에 품는다

선량한 마음으로, 즐거운 마음으로 품으면
가장 값진 선물이요 귀한 행복의 원천 수인 것을...

너는 나에게 끝없는 용기를 주지만
그것이 진정한 용기인가 객기인가 알 수 없다

네가 내 안에 머물며 내게 용기를 주는구나
그것이 의지와 관계없는 객기 일지라도....

잠시 너는 너의 강한 힘을 나에게 전해주는구나
망설이던 마음속 진실을 너의 힘으로 밝히는구나!

## 무궁화

삼천리 무궁화가 언제부터 시들었나
개나리꽃이 만개하여 무궁화를 밀어내도다

무궁화는 다복하고 지칠 줄 모르는 상징인데
어느덧 개나리 노란 꽃에 물들어 퇴색하는구려
개나리 향기에 밀려 후각을 잃어도 중심은 있거늘
개나리 향기에 취해 몽롱한 정신은 갈 곳을 잃었네

무궁화는 흔들림 없는 자태를 지키려 하고 있거늘
개나리 군락에 무궁화는 민중에서 멀어지는구려
무궁화는 울 안과 밖을 모두 보며 미소를 짓지만
개나리는 고작 담장 역활을 하며 울 안만을 본다

무궁화는 대의를 보며 곧고 바른길을 걸어야 하며
개나리는 초가집 담장을 지켜야 풍경이 아름답다
무궁화는 끈기와 섬세함으로 무장하고 있음에도
반짝이고 마는 개나리를 품어야 하는지...

장자가 이르기를
좁은 연못의 개구리에게 바다를 이야기할 수 없고
여름 한철 사는 벌레에게 겨울 얼음을 말할 수 없다
야인과 선비를 혼동(混洞)한 세상인가?
야인과 선비를 혼돈(混沌)하는 세상인가?

# 한바탕 빗줄기

시원하게 장맛비가 온 대지에 날개를 편다
아픔도, 슬픔도, 시련도 모두 씻겨 내려 한다

장맛비는 논에 물을 충수해 넉넉한 마음을 전하고
사철나무에 생명수처럼 다가와 사기를 북돋는다

단시간 너무 많이 찾아와 벅차기도 하지만
케케묵은 응어리를 깨끗이 씻어 주기도 한다

한 방울 한 방울 작은 냇물을 만들어 안정을 주고
하나둘 모여 작은 호수를 만들어 낭만을 선물한다

넘쳐흐른 호수는 강물을 만들어 유유히 갈 때도
분노를 참지 못해 과격한 성품을 드러내기도 한다

어느 때는 세차게 대지를 두들겨 흙탕물을 만들고
세상을 혼탁하게 하여 청수를 볼 수 없도록 한다

장맛비는 평민에게는 시련과 휴식을 주기도 하며
때론 한없이 깊은 낭만을 선물하기도 한다

지붕 능선을 따라 처마 끝에 흘러내리는 낙수는
마음을 동요하고 잠시 평온을 보여 주기도 한다

## 이심전심

리더는 팀을 아우르기 위한 지도력이 필요하고
팀원은 팀이 원활하기 위한 팀워크가 필요하다

리더는 팀 전체를 고려하며 어우러짐을 생각하고
팀원은 팀 보다 부원의 일정과 안좌를 생각한다

리더는 팀 운영의 전반을 고려하여 배려하지만
팀원은 생활 전반을 고려하고 선행하여 계획한다

윗사람은 아랫사람에게 베풀며 배려하곤 하지만
아랫사람은 윗사람이 한없이 이해해 주길 바란다

윗사람은 대양과 같은 넓은 품성과 도량을 품고
아랫사람은 시냇물처럼 강물에 편승하길 바란다

윗사람은 아랫사람이 진보하고 선행하길 바라고
아랫사람은 윗사람이 따듯하게 감싸주길 바란다

윗사람은 방패와 같지만, 때론 창검이 될 수 있고
아랫사람은 표적이 될 수도, 비수가 될 수도 있다.

## 글이란

글을 쓴다는 것은 몰입한다는 것과 같다
글을 읽는다는 것은 집중할 수 있다는 것과 같다
사물을 보며 순간 생각나는 것을 글로 옮긴다는 것은
거칠고 험난한 사연을 다듬고 힘든 고난을 순화하여
아름답게 표현한다

초라하여 찾지 않는 이름 모를 풀일지라도 고귀하고
하나의 생명으로 큰 아름다움을 세상에 선물한다
따갑고 험한 표정으로 접근을 거부하는 글도 있지만
속내들 보면 신비하고 특별하며 고귀한 아름다움이 있다
글이란 세상의 아름다움도, 흉물도 긍정으로 표현하고
사실은 생생하게 표현하며 강한 진실을 빛나게 한다
글은 양날의 칼과 같다

창검이 되어 돌이킬 수 없는 결과를 만들기도 하지만
세상에서 가장 튼튼한 방패가 되어 방어하기도 한다
글은 표현의 자유를 한없이 부여하고 있지만
자유인지 방종인지 알 수 없이 쓰며 사용한다
글은 헛 흘림이나 비방적 표현은 안 되며
생명 없는 길거리 표현은 더더욱 안 된다

글은 순수한 마음의 표현이기에 그렇다

# 기억

기억 속에서 지운다고 과거가 사라지나
기억 속을 굳건히 자리 잡는 추억이 있다
과거 속에 머무르려 하지만 시간은 멈춤이 없다
행복한 기억은 간직하고 슬픈 기억은 잊으려 한다

어제는 오늘의 과거지만 오늘은 내일의 과거이다
하루를 성실하게 살고 좋은 기억을 추억 속에 넣는다
어제 같은 오늘이 되기를 아니 어제보다 더 밝은 오늘이
되길 희망하면서 하루의 문을 슬며시 연다

좋은 기억, 아픈 기억은 오래도록 남지만
수수한 기억은 지우개처럼 깨끗이 잊히곤 한다
보은 기억은 평생을 가도록 기억하고 돌려줘야 하며
베푼 기억은 베풂과 동시에 하늘로 여행 보냄이 좋다

선행은 행하되 기억에 담지 말고 강물에 흘려보내고
악은 늘 기억 속에 두고 회개하며 바로 할 수 있도록 한다

기억은 오묘하다
악이 되면 잊으려 하고 선이 되면 취하려 나선다
조물주는 편리한 도구를 하나 선물 해 주셨다
모두에게 공평하도록 똑같이 망각을 선물하셨다

## 선비는 선비다

약속이 있는데 지키지 않고 다른 약속을 논하지?
명쾌하고 명석한 소치로는 도무지 이해가 안 된다
옳고 그름이 무언지 하나둘 정체성을 잃어간다
지천명을 훌쩍 넘어도 아리송하고 사실을 모른다

도구를 이용해서 희망하는 답을 얻으면 되려나
원하는 답을 얻은들 진실을 되돌릴 수 있으려나
얻은 답으로 미래를 위해 안전한 도구를 만들면
가장 편리하고 강력한 무기가 될 텐데 투기한다

법을 거슬러 옳고 그름을 논하는 것은 광대인가?
최소한의 약속이고 반드시 수호되고 지켜야 한다
약속이란 도구는 공평하고 평등하게 나눠야 하며
특정한 도구를 사용하는 것은 선비의 도가 아니다

옳다고 약속을 어겨 순리를 달리하는 건 억지더냐
옳다고 해도 방법이 그르면 옳음이 희석되는 것을
선비는 갓 쓰고 도포 입고 탱자밭을 걸어도
흐트러짐이 없어야 선비라 말할 수 있고,

아무리 세찬 비가 내려도 서둘러 뛰지 않고
정도를 정속으로 휘둘림 없이 걷는 것이 선비다

## 넓은 하늘

지치고 힘들 때 기댈 곳은 어디더냐
주저앉아 있는 곳이 쉼터이더냐

울하고 허전한 마음은 하늘과 같다
조금 슬퍼도 내색하지 않으며 넓게 넓게

힘이 들 땐 하늘을 봐 끝없이 펼쳐지잖아
행복의 융단을 깔아 사뿐사뿐 걸으라고

슬플 땐 하늘에 주먹질을 해봐
하늘은 부드럽고 포근하게 그리고 환하게 맞아줘

너는 땅만 보고 뛰니까 하늘이 안 보이는 거야
한 번만 하늘을 봐 행복한 미소가 보일 거야

웃는 거야 넓은 하늘처럼 그렇게
푸른 하늘에 뭉게뭉게 구름을 띄워 미소를 짓는다

넓은 하늘은 늘 내 친구처럼 나를 응원한다

뭐?

옳은 것은 어떤 것이고,
그른 것은 어떤 것이냐?

세상은 아는 만큼 보인다
지식이 있는 만큼만 말하라

세상에 내어놓은 말은 책임이 있어야 한다
흘려보내듯 무책임하면 안 되며 무한책임을 져야 한다

왜?
학자라고, 성인이라고, 전문가라고, 쪽팔리지 않게!

# 신뢰

믿음이 있다는 것은 큰 힘이 된다
권력이나 지위 따위가 힘이 있는 것은 아니다

무력 따위 완력이 지식이란 큰 힘을 이길 수 없다
신념과 믿음이 있다면 큰 힘의 에너지가 된다

천 길 절벽에 매달려도 신뢰가 있다면 평지와 같고
신뢰는 세상을 평온하게 하고 거대한 탑을 쌓는다

사람 간의 신뢰, 동물의 신뢰, 시간의 신뢰
신뢰는 힘이 배가되고 용기가 충전해진다

신뢰는 싸구려 입담이 아니라 묵언의 믿음이다
기러기 털과 같은 믿음은 바람에 날려 여행한다

내가 너를 믿고, 네가 나를 믿는 것은 큰 인연이다
신뢰가 있다는 것은 허울과 허물이 없다는 것이다

겸손, 용기, 노력과 더불어 신뢰는 태산과 같다
신뢰는 모든 믿음의 주축을 이루는 거탑이다

## 공짜

세상에 공짜가 있나?
그냥 얻어지는 것이 있던가?

숨 쉬는 산소는 공짜다
아니 숲을 가꾸어 만들어진 결실이다

꽃의 향기는 공짜다
아니 아름다운 모습을 보려 가꾸니 향기를 준다

세월의 흐름에 느는 주름은 공짜다
아니 행복을 위해 열심히 노력한 결실이다

시원하게 스치는 바람은 공짜다
아니 잘 가꾼 숲과 꽃이 주는 아름다운 메아리다

세상은 아는 만큼 보이고, 노력 없는 공짜는 없다
노력한 만큼 얻고 준비한 만큼 성공하는 것이다

세상 진정한 딱 하나 공짜는 어버이 사랑이다
내리사랑으로 늘 보듬고 바른길을 알려주신다

조금만이라도 보답하는 마음으로 봉양하고
어버이 깊은 사랑을 양지하는 내가 되고 싶다

# 하늘

맑고 높은 하늘을 보았니
넓고 푸른 하늘을 보았니

맑은 하늘은 상쾌함을 선물하고
높은 하늘은 꿈을 크게 펼칠 수 있다

넓은 하늘은 세상 희로애락을 모두 담을 수 있고
푸른 하늘은 항상 싱그러움과 희망을 내어준다

때론 시커먼 먹구름을 들어내기도 하고
때론 날벼락을 선물할 때도 있는 것을...

변함없는 것은 행복을 꿈꾸는 우리의 마음이요
변모하는 것은 세월에 편승한 이마의 훈장이다

하늘은 변함없으나 바라보는 마음은 갈대 같고
고독은 방랑자의 독백인가 세월의 밀림인가?

**하나만 아는...**

정치는 모르지만, 정도는 안다
바르게 걸어야 하고 옳은 말을 하는 것이다

거짓은 모르지만 참이 뭔지 안다
참은 이치나 논리가 바르고 옳은 것이다

오만은 모르지만, 겸손은 안다
타인을 존중하고 자신을 들어내지 않는 것이다

좌절은 모르지만, 용기는 안다
불의를 겁내지 아니하고 맞서는 기개인 것이다

배신은 모르지만, 신뢰는 안다
상대를 배려하고 굳게 믿으며 의지하는 것이다

아첨은 모르지만, 아부는 안다
상대의 비위를 맞추고 대화하는 기술인 것이다

사실을 직시하는 혜안이 있다
사물과 현실을 바로 보고 알아야 하는 것이다

사리를 분별하는 지혜가 있다
지천명이 훌쩍 넘어 비로서 사회상규를 이해한 것이다

# 어느 여름

뙤약볕이 싱그럽게 내리쬔다
푸른 수목이 바짝 고개를 들고 당당하다

작은 꽃들도 뙤약볕을 받으며 활기를 찾는다
꽃의 아름다움에 정취(情趣)한 꿀벌의 날갯짓이 곱다

푸른 청송은 뙤약볕에도 아랑곳하지 않는다
자연의 변화에 묵묵히 순응하며 현실을 직시한다

한적한 공원 벤치는 나그네를 기다리며 우직하다
정자 그늘에 바람을 불러 편안한 안식처를 만든다

이마에 맺히는 구슬은 여름이 주는 행복 선물인가
뙤약볕이 주는 아름답고 싱그런 시련의 선물인가

뙤약볕 시련은 여름 무지개처럼 아름답게 지나고
행복은 여름 시원한 소나기처럼 나를 흠뻑 적신다

....

한산한 대중교통
오늘따라 한가롭다

간만에 즐겨보는 여유인가
의무감에 움직이는 시간인가

모두 여유로운 표정들이다
평일과 사뭇 다르다

오늘은 제각기 여가를 찾아 고고고
주말이 주는 행복에 젖어본다

오전에 살며시 비를 내려 먼지를 달래 보내고
방긋 웃는 해님이 환한 얼굴을 들이민다

주말 오후 햇살이 아름답다
오가는 발걸음이 너도나도 가볍다

밝음이 주는 행복의 융단을 밟고 걷는다
나는 오늘도 행복한 행진을 이어간다.... 멀리

## 행복이란

누구나 행복이 함께하길 바란다
누구나 사랑이 충만해지길 바란다

오솔길 한들한들 춤을 추는 이름 모를 꽃이 바란다
환하게 미소 지으며 희망을 주고 사랑받기를 바란다

오늘은 좋은 일 가득할 거야 스스로 희망을 채운다
오늘은 희망이 보이고 성공한다는 의지를 채운다

아름다운 꽃은 보는 이를 한없이 즐겁게 하고
긍정의 미소는 상대에게 행복의 봇짐을 내준다

함께하는 이 아름다운 마음과 미소로 분장하고
덩달아 행복함으로 온 누리에 아름다움을 전한다

나그네 입가에 미소를 만들고 오가는 이 반긴다
한바탕 웃음으로 함께하고 긍정으로 하루를 연다

화려함보다는 소담한 꽃들이 더 아름답다
작지만 소중함을 알고 하나하나 빈틈없이 품는다

# 삶

인생이 노을처럼 익어간다 하지만
파란만장하기만 한 인생은 굴곡이 많다
촌구석 소년은 작은 소망을 꿈꾸며 배우고
젊은 청년이 되어 거침없이 계획하고 달리며
인생은 서녘 노을처럼 익어가는 황혼의 낭만이다

소망을 이루려 달리고 넘어지기를 반복하며
시련을 맞기도 하고 인내를 배우기도 한다
야생마처럼 쉼 없이 달리며 성공과 실패를 만나고
좌절이란 친구, 오기란 친구, 용기란 친구도 있다

어느덧 지천명이 넘어 세상 이치를 조금 알아가고
사리가 무언지 깨달아 정의 앞에 망부석이 되었다

봄이 되어 새 생명이 돋아나고 환하게 웃으며
서둘러 익어가는 것은 시간의 소중함을 알기 때문이다
이글거리며 내리쬐는 여름 뙤약 빛은 젊은이를
단단하고 튼실하게 성숙시키는 준비를 한다

은은하고 풍요로운 가을 정취를 느끼며 머문다
오곡이 익어가는 것을 보며 인생도 덩달아 익는다
시련과 역경을 이겨내며 조금은 성공한 인생
청송 위에 소복이 쌓인 하얀 눈송이처럼 행복하게 익어간다

# 휴일

지하철은 같은 길을 같은 속도로 달린다
누구에게도 동요하지 않고 묵묵히 달린다

나그네들은 저마다 무언가에 몰입하고 분주하다
나그네들의 세계 안에서 만족을 찾는지 집중한다

IT로 똘똘 뭉친 상자를 하나씩 들고 분석하나보다
때론 영화 평론가가 되고 때론 시사 평론가가 된다

시대를 살아가면서 평론가도 필요하고 비평가도 필요하다
그것이 견제와 균형의 원리를 유지한다

한가롭지만 분주하고 정신없지만, 반듯한 듯하다
흐트러진 듯 보이지만 제자리에서 역활을 다 한다

정해진 자리가 있고, 만들어지는 성공이 있다
자리는 정해지지만, 세상을 담는 그릇은 내가 빚는다

**뭣이**

날씨가 덥고 바람이 없다
번개가 있고 바람이 분다

맑은 하늘에도 번개가 있다
넓은 대지에도 속내가 있다

고개를 떨구지만 숙이지 않았다
만세를 부르지만, 승리는 못 했다

환한 미소가 있지만 웃지 않는다
눈물을 흘리지만 미소 짓는다

발걸음은 전진하고 마음은 뒤로 숨는다
말로는 칭찬하고 행동으로는 깎아내린다

풍기는 향기는 은은하고 지니는 향기는 구리다
상식의 수레는 있으나 지식은 담은 수레는 없다

나는 지식을 담고 지니는 멋을 소중히 하고 싶다

## 오른쪽과 왼쪽

이리 들으면 이게 옳은 것 같고
저리 들으면 저게 옳은 것 같다

언쟁으로 잘잘못을 따지며 앞이 옳으냐 뒤가 옳으냐
네가 맞고 내가 틀리냐 내가 맞고 네가 틀리냐

지난 일은 교훈 삼아 진보해야지 흉을 들추어 낸들...
서로 헐뜯고 허물을 들추어 흉보는 바보들 아닌가

그 시대에 옳았던 것이 현시대에는 그를 수 있는 것을...
한번 옳은 논쟁이 불변의 정의라는 생각은 우둔한 것이다

옳고 그름은 시대를 풍자하는 해학과 같으며
옳음은 곧고 바른 생각으로 시대를 걸으려 배려하는 것이다

내가 아는 만큼 세상은 넓어지고 높게 보이며
성공을 위해 노력의 씨앗을 심고 행복의 열매를 거두는 것
이다

진정 옳고 그름은 서로를 배려하고 공유하는 것이며
다른 이의 허물은 슬며시 덮으며 귀감은 받아들여 크게 나
누는 것이다.

## 샌님들

남의 허물은 쉽게 보이고
나의 허물은 알지 못한다

남의 허물은 들추어 흉을 만들고
나의 허물은 감추어 덕을 만든다

남의 과거는 도리에 어긋나고
나의 과거는 순리에 따른 거다

남의 작은 실수는 크게 홍보하고
나의 큰 실수는 작은 표현으로 감춘다

남을 폄하하고 작게 만들어 낮추고
나의 작은 행동은 크게 떠들며 돋보이려 한다

남을 낮춘들 내가 높아질 수 없음을 ....

# 시간

동면에서 깨어나 생명의 손짓을 하던 싱그러움
하나둘 시간에 흐름에 순응하며 성숙함을 보인다

대지를 감싸고 그늘을 만들어 평온함을 내어준다
하루하루 도약의 발걸음은 생기를 더하며 행복하다

맑고 높은 하늘은 평온한 미소를 내어준다
유유히 흐르는 강물은 시간을 포용한 채 조용하다

이름 모를 꽃은 바람의 운율을 즐기듯 춤을 준다
곁에 있지만 알지 못하고 떠난 뒤 허전함을 느낀다

멈출 줄 모르고 달리는 시간은 분주하고 분주하다
주어진 시간은 같으나 내게 시간은 너무 가혹하다

쏜살처럼 반응하는 사물이 나를 초라하게 하지만
나는 시간의 흐름에 편승하여 결실을 챙기려 한다

# 승차권

두 주먹 불끈 쥐고 세상에 편승한다
편승한 순간부터 쉼 없는 여행의 시작이다
인생 승차권 한 장에 몸을 싣고 희망으로 달려본다
주어진 승차권은 딱 한 장뿐! 두 장을 살 수 없다
두 주먹 불끈 쥐고 떠난 여행은 일수불퇴(一手不退)! 오로지
전진이다

실수도, 성공도, 슬픔도, 기쁨도 감내하며 전진한다
재방송 없는 모노드라마의 가장 멋진 주인공이 되어
멋진 모습으로 분장하고 각색된 큰 계획을 연출한다
한 장의 승차권은 편도일 뿐 왕복은 없다
일방으로 전진하며 멈출 수도 없고 반납도 없다

때론 평탄한 대로를 걸을 때도 있고
때론 꼬부라진 오르막을 오를 때도 있고
때론 험난한 가시밭길을 걸을 때도 있고
때론 끊어진 길 앞에 고뇌에 잠길 때도 있고
때론 붉은 카펫을 걸으며 박수갈채를 받을 때도 있다

덜컹거려도 쉼 없이 달려야 하고 고독과 친구 하며
산 정상에 오르듯 꾸준히 인내하고 고뇌하는 터널을 지나
태양이 숨 쉬는 환희를 만나 포옹한다

여행하다 보면 함께 하는 이들도 늘고
각자 승차권을 한 장씩 손에 들고 미소 지으며 함께 한다
이왕 승차 했으니 즐겁고 긍정한 마음으로 완주해 멋진 회
고록을 쓰고
종착역에서 하차할 때는 한 점의 부끄러움 없이 당당한 모
습으로 하차 하리라

## 뮈라노

하늘은 환하지만, 먹구름이 살며시 얼굴을 내민다
붉은 장미는 정열이 넘치지만, 살며시 고개를 숙인다

나뭇가지 사이로 찾아드는 바람을 환영한다
바람은 머물지 않고 스치듯 여행하는 방랑자이다

강물은 미끄럼을 타듯 평화롭게 세상을 품는다
평화 속 보이는 이들은 등용문을 아는 선구자 같다

높은 기둥 위에 앉아 있는 가로등은 변함이 없다
나그네 발길을 축복하며 대지를 환하게 밝혀준다

이른 아침 딱새는 행복을 찾아 부지런히 오간다
정오를 맞아 뜨거운 사랑을 표현하기 위함이다

저녁노을 붉게 물든 하늘과 어우러지는 지평선은 곱고 곧다

은하수를 보며 하루를 정리하고 내일을 설계한다
유성은 소원을 이루라고 멋진 희망을 선물한다

# 희망의 빛

어두운 긴 밤이 지나면 밝은 새벽이 찾아오고
슬프고 고된 시련을 넘으면 희망이 싹튼다

긴 터널을 지나면 아름답고 평온한 풍경이 보이고
구슬땀을 흘리며 언덕을 오르다 보면 정상이다

목 놓아 아우성치지 않아도 뜻이 전달될 수 있고
발걸음을 재촉하다 보면 나의 행복은 나의 곁에 있다

높고 높은 파고가 일어나도 대해(大海) 속은 평온한 것이고
천둥, 번개가 휘몰아쳐도 대지(大地)는 동요하지 않는다

극복할 수 있다는 사고로 시련을 당당하게 맞으며
굴하지 않고 빗겨나지 않으며 바른 자세로 전진!

어둠은 잠깐의 시련이고 새벽은 새로운 오늘이고
희망은 간절한 바람이요 행복은 오늘의 완성이다

시련이 있다는 것은 노력한다는 것이고
미소가 있다는 것은 목표에 가까워졌다는 것이고
어둠이 있다는 것은 새벽이 오고 있음을 알리는 것이고
태양이 힘차게 떠오르는 것은 용기를 주는 것이며
산천초목이 아름다운 건 완성이라는 것이다

## 세상 뜻대로 되겠소...

인생사 다 그렇게 흘러가는 것 아니겠소
마음먹은 대로 술술 풀린다면 재미없지 않겠소

세상은 호락호락 하지 않으며 어긋나는 것이잖소
술술 풀리길 바라나 틀어지고 근심만 남아 있구려

하늘 구름도 아는지, 모르는지 굳은 표정으로 바라보는구려
내심은 곯고 곯아 쓰라린데 기댈 곳 없고,
외심은 너그러운 너털웃음으로 나를 포장하는구려

얼굴엔 미소 가득하지만 미소 뒤엔 머나먼 슬픔이 있소
큰사람 되려고 허우적대며 성인처럼 길을 걷고 있소만
좁은 발걸음 흔적만 남는구려

가식 하나 없이 열심히 전진하고 있으나 힘드오
아프다 몸부림치지만 나는 가장이요 장자인 것을

슬퍼도 내면으로 슬프고 고난도 몸으로 감내하며
고난의 슬픔은 내 것이지 공유하는 것이 아니라는
나만의 철학이라오

## 공허

허전하고 공허한 마음이다
무엇을 어떻게 해야 하는지

이도 저도 못하며 시간만 보낸다
우물쭈물 설왕설래 갈피를 못 잡는다

간단할 수도 있는 현실인데 결정하지 못한다
챙겨야 할 상황이 널브러져 있어서 그런가?

필수적인 것 외 부수적인 것들인가?
뭣이 필수이고 뭣이 부수인가? 혼돈이다

엉클어진 실타래처럼 보이긴 하나 좀처럼 풀리지 않는다
어디부터 어떻게 풀어야 정리될는지 답답하다

분명 답이 있을 텐데, 분명 쉽게 갈 수 있을 텐데,
명쾌한 답을 찾아 하나둘 풀어보자

나와 맞서는 정답 너도 함께 머리를 맞대고 답을 주렴...

## 낭만과 자연

아침 일찍 은은한 원두 향에 취해본다
향기에 흠뻑 취해 낭만을 찾아 시간을 멈춰 본다

베고니아 위에 앉은 아침 이슬이 나를 반긴다
영롱한 자태를 뽐내며 행운 목 잎에 미끄럼 탄다

오케스트라처럼 풀벌레 소리 정겹게 메아리친다
하나둘 아침을 알리고 햇살을 맞으며 미소 한가득

창문 사이로 마실 온 이들과 어울려져 하나 된다
아침의 평온함과 함께 태양이 환한 얼굴을 내민다

창문 사이로 살랑살랑 춤추는 바람도 신이 난 듯
봄바람에 예쁜이들은 덩실덩실 더덩실 어우러진다

작은 벌레는 수줍은 듯 화분 속으로 몸을 숨기고
호야는 두 팔 벌려 그늘은 만들어 안식처를 베푼다

# 무제

겨울 두꺼운 얼음도 버들치 부지런을 막지 못한다
세상과 단절된 것 같지만 조용히 시간을 여행한다

맑고 투명한 겨울 얼음도 봄이 되면 사르르 녹고
잠자던 개구리도 기지개를 켜고 환한 미소를 맞는다

차가운 얼음 아래 물장구는 쉼 없는 행복을 찾는다
얼음은 잠시 머무는 나그네일 뿐 사랑을 넘지 못한다

겨울 얼음 아래 숨죽이던 물벌레도 사랑을 찾는다
동면하던 가재도 사랑을 찾아 분주하고 활기 넘친다

눈이 오면 눈을 막고 비가 오면 녹아들어 함께한다
얼음 아래 분주한 아우성은 봄을 만드는 소리인가

동쪽에서 비추는 태양은 얼음 속 아름다운 세계를
더욱 빛나게 하고 잠자던 이들에게 따스함을 준다

# 향기

검은 커피는 은은한 향을 풍기고
된 사람은 친근한 향기를 풍기며

하얀 아카시아는 달콤한 향기를 풍기고
든 사람은 겸손한 향기를 풍기며

분홍 베고니아는 아름다운 향기를 풍기고
난 사람은 편안한 향기를 풍기며

자연의 풍요로운 향기는 백 리를 풍기고
평민의 소소한 향기는 천리를 풍기며

백두대간 태평한 향기는 삼천리를 풍기고
현명한 도량과 지식의 향기는 천만년을 풍긴다

# 언어

아름다운 단어가 머릿속을 맴도는 혼자만의 생각
세상 밖으로 나오지 못하는 나만의 단어인 듯하다

저 하늘 구름은 나의 마음을 아는지 모르는지
슬며시 바람에 몸을 싣고 등을 보이며 흘러간다

솔솔 부는 바람은 함께하자고 나의 몸을 이끌지만
나는 독백을 즐기려 하니 풍운아 먼저 가시구려

나의 고향 오솔길은 솔향 가득하며 온유하다
냇물 가재는 씩씩하게 행진하며 행복을 노래하고

살며시 바위 아래로 폭포처럼 떨어지는 냇물은
거슬러 오르려 힘차게 솟는 버들치를 응원한다

작은 냇물 속은 오대양 육대주보다 더 넓은 듯하다
어우러진 교향악단처럼 조화를 이룬 아름다움!

아름다운 단어는 보는 이를 즐겁게 하고
대화에서 오가는 언어는 세상을 즐겁게 한다

# 미소

환한 미소 뒤 숨은 눈물은 폭포와 같다 하오
한 많은 슬픔 뒤 미소는 정오의 태양과 같다 하오

미소 뒤 눈물이 있고 슬픔 뒤 미소가 있는 듯하오
삼천갑자 돌고 도는 인생, 신명 나게 살아보려 하오

미리 알고 떠나는 여행이라면 무슨 흥이 나겠소
때론 뜨거운 눈물도 나를 현인으로 성숙하게 하고
때론 밝은 미소가 나를 철부지로 만들지 않소

미소는 자연과 어우러질 때 무엇보다 커 보이고
슬픔은 함께 나누면 기러기 깃과 같다 하오

미소는 환하게 그리고 크게 웃어야 멋있다 하오
한바탕 크게 미소 지으면 눈물도 사막의 모래처럼 뽀송뽀송
하다오

미소는 저 높은 태양같이 늘 빛나며 넉넉하오
큰 슬픔도 폭포 같은 눈물도 미소에 녹아든다오

미소는 이 시대를 사는 큰 동력이라오

## 낭만에 초 치는 소리

봄의 향연을 아름답게 즐기려 귀 기울인다
봄 햇살은 산천초목에 활기를 선물한다

밤사이 노래하던 가을 귀뚜라미처럼
낭만의 운치보다는 낭만에 초치는 요란한 소음이 되어...

햇살에 화들짝 놀란 달맞이는 서둘러 숨바꼭질하고
따가운 햇살에 소소한 이들은 하나둘 자취를 감춘다

태양이 비추는 양지는 활기 넘치고 분주하지만
햇살 아래 그늘을 만들어 고뇌의 음지가 된다

전진하고 미소 짓지만 등 뒤에는 세찬 시련이 있고
아름다움을 노래하지만 시야와 성대는 늘 피곤하다

낭만이란 한적한 오솔길을 걸으며 나뭇잎 사이로 비추는
행운을 맞은 것이고

나그네 발걸음에 하나둘 스치는 자연을 노래하는 것이
아닐는지..

## 아침 햇살

싱그런 바람이 춤을 춘다
한들한들, 설렁설렁 흥에 겹다

은하수에서 내려온 영롱한 이슬이
순수한 향기를 온 누리에 살며시 내려놓으며

버들강아지 얼굴에 사랑의 향기로 속삭인다
수줍은 듯 고개를 숙이며 흐르는 냇물을 동경한다

흐르는 냇물과 하나 되어 어우러진 버들치는
사랑과 행복을 하나둘 전하며 분주하게 오간다

작은 바위틈 얼굴을 내미는 가재는 윙크한다
늦음이 미안한 듯 엄지를 번쩍 들어 인사를 전한다

아침 햇살은 옹달샘과 어우러져 큰 미소를 만든다
버들강아지와 영롱이는 흥에 취해 한들한들

아침 햇살은 맑고 맑은 아름다운 자태를 보이며
싱그럽고 환한 사랑으로 오늘도 행복한 출발선에 나는 선다

## 커피 & 낭만

이른 아침 커피 한잔에 낭만을 담아본다
낭만을 즐기려 하지만, 저 멀리멀리

고난의 파도는 그칠 줄 모르고 넘실넘실
하나둘 부서지는 파도는 가슴을 에는데

생각 없이 구사한 단어는 세상을 여행하고
가슴에 박힌 한의 응어리는 풀릴 길 없어라

죽을힘을 다하여 달리지만 첩첩산중이 버틴다
뫼는 더 커져만 가고 강은 더 넓고 근심은 눈덩이처럼....

길고 긴 어두운 터널을 지나려 안 깐 임을 쓰지만
큰 강 얇은 살얼음은 비웃기라도 하듯 투명하다

세상 평범한 이가 느끼는 고뇌라 하지만 버겁다
온 힘을 다해보지만, 미소는 온데간데없다

2024. 오월 어느 슬픈 날

노력과 성실은 너를 속이지 않는다.

실패는 멈춤의 결과이고,
성공은 노력의 결과이다.

## 외면과 내면

바람 한 점 없다
마치 시간이 흐름이 정체된 듯

어둠이 은은히 머물며
아침에 새벽을 양보한다

은행나무도 고독히 생각에 잠긴 듯하고
왕벚나무는 활기를 찾는 듯 파릇파릇하다

산천의 젊은 아우성은 백두대간을 깨우고
강물은 유유히 걸음을 재촉하며 제 갈 길을 간다

달님은 은하수와 어우러져 태양을 감추고
온화함은 囊中之錐이며 미소는 苛政猛於虎이다

세상 사람 함께 어우러지라고 대지는 평탄하며
지구가 둥근 것은 너그러이 화합하라는 뜻이다

# 어머님

노모는 아들이 쉰이 넘어 회갑이 되어도 품에 넣는다
딸이 손주를 품고 있어도 노모에게는 철부지 소녀인가 보다

열 달을 품고 세상에 내놓아 금지옥엽 돌보고 돌보아
세상에 내놓으신 어머님!

바른길을 걸으라 인도해 주시고 손을 잡아 이끌고 평탄한
길을 가르쳐 주신 어머님!

진자리 갈아주시며 늘 밝고 깨끗한 사랑으로 감싸시고
가장이 된 아들을 보아도 잘못될세라 노심초사하시는
어머님!

어머님 사랑을 양지하지 못하는 못난 아들은
오늘도 철부지처럼 그 깊은 뜻을 헤아리지 못하고
헛웃음만 쫓는다

세상 어떤 단어도 어머님 사랑을 표현할 수 없으나
조금이나마 어머님 사랑을 헤아리려 불초자 용을 씁니다

## 平劍과 特劍

칼은 칼답게 써야 칼이고
호맹이는 전답에서 써야 빛을 본다

현실을 외연하고 특별함을 논하는 것은
현재의 평범함을 신뢰하지 못한다는 것이다

현실이 어렵다고 새로운 것을 논하는 것은
목적이나 인기만을 위해 노래하는 논제이다

현실을 수긍하고 최적의 방법을 찾는 것은
지난 과거의 과오를 개선하려는 최선의 선택이다

특별함으로 합리화하고 답을 찾으려 하는 것은
선인(善人)들의 눈과 귀를 현혹하려는 것이다

흐르는 물이 거스르지 않는 것은 진리와 순리이고
대지로 스며든 생명수가 대자연 기풍을 만드는 것이다

가가호호에는 가풍이 있고
현실에는 사회상규와 관습 예가 있다

## 만사종관 기복자후(萬事從寬 其福自厚)

모든 일에 관용을 베풀고 따르면 스스로 복이 찾아든다.
어느 식당에서 점심식사 하는데 벽에 붙어 있던 글귀가
문득 생각나 적어봅니다.
현대를 살아가는 우리에게 필요한 것 같습니다

가정의 달!
가족을 위해 행복한 봇짐을 풀어보시지 않으렵니까?
오늘도 화이팅!

## 고향 아침

내 고향 산천에는 봄의 향연이 한창이다

산에는 푸른 송이 꽃을 피워 송홧가루를 날리고
들에는 알록달록 아름다운 꽃들이 춤을 추며
시냇물 졸졸 흐르는 옆으로 물이끼가 파릇하다

숲속 나뭇가지에 종달새 아름다운 노래하고
펄펄 나는 꾀꼬리는 사랑을 속삭이며 봄을 맞는다

높은 하늘은 뭉게뭉게 그림을 그리며 한가롭다
푸른 구름 하얀 구름 서로서로 환한 미소를 짓는다

잡초 사이 둥지를 튼 개미는 이른 아침을 즐긴다
이름 모를 충들은 아침이슬을 머금으며 하루를 연다

봄의 아침은 가장 아름답고 푸르름을 더한다
멀리 보이는 산과 들은 초록색 옷으로 단장하고
집 앞 뜰에는 아름다운 꽃들이 활짝 웃으며 반긴다

오늘도 어김없이 아침을 열어 대지를 깨우고
희망의 빛을 뿌려 성공을 키우며 행복을 맞는다

# 목소리

논쟁으로 식단을 논하며 편식으로 편을 가르고
작금의 시대에 서생의 목소리는 간데없다

목 놓아 아우성쳐도 들리지도 전언하지도 않으며
보이는 것은 장막과 작은 허울뿐 진의가 없다

과거를 망각해서도 안 되지만, 집착해선 더 안 되며
독선 또한 안 된다
과거에 머물러 다투며 진정 민의 소리는 외면한다

진보에 진보를 더하고 귀를 열어 작은 소리를
듣고 들어 미소를 만들어야 참 미소가 고개를 든다

장막을 만들어 눈을 가리면 민초는 보이지 않는가
나지막이 대지를 울리는 서생의 진언은 듣지 않으려 하나

진언을 막고 감언으로 일신의 안좌(安坐)를 지키는 소인
일신의 안좌보다 대의의 행복을 찾는 이가 되어야 하고
바로 걷고 바로 듣고 바로 보는 나는 현인이어라

# 우뚝 선 나

홀로 외로이 어둠 속에 희미하게 빛을 밝히며
어둠이 깊어 질수록 빛을 더하여 환하게 밝히고

한들한들 부는 봄바람에 살며시 몸을 맡기며
시련일랑 모두 망각하고 평온함을 맞으며 서 있다

시련은 좌절을 극복하는 원동력이 되어 나를 세우고
하나둘 성취하며 물리치는 시련은 소중한 스승이어라

알록달록 피어나는 꽃들은 만개한 모습으로 가르침을 주며
희망과 행복을 선물하고 나를 위로하여 북돋운다

비겁한 이는 부끄럽고 구차한 변명으로 일관하고
현명한 이는 최적의 방법을 찾아 행동으로 옮긴다

나는 나는 태양이 이글거리는 낮에는 그늘을 만드는
느티나무가 되고
나는 나는 달빛 희미한 밤에는 환한 빛을 내어 대지를
밝히는 희망의 등불이 되리라

## 119 플러스

119 Magazine Plus 5 years Anniversary.
The Best Fire Magazine in Korea.
My honor to be one of the magazine's writers.
And I am so happy to be able to donate my contribution to
the Korea Fallen Firefighfers Memorial Association.
Congratulations FPN - 소방방재신문/119플러스!
Happy 5 years anniversary!!!!!!

119 매거진 플러스 5주년.
대한민국 최고의 파이어 잡지.
잡지의 작가 중 한 명이 된 것은 영광입니다.
그리고 한국소방관기념사업회에 기부할 수 있어서 너무 기쁩니다.
축하합니다 FPN - 소방방재신문/119플러스 !
5주년 축하해!!!!!!

## 자유와 방종

자유는 스스럼없는 행동이나 언행이고
방종은 도의를 넘어 주제가 없는 言行이다

자유는 정해진 테두리 안에서 편안한 언행이고
방종은 스스로 생각을 거침없이 행하는 것이다

자유는 평온한 책임이 뒷배가 되어 힘을 주지만
방종은 무념한 무책임, 안일함으로 言行을 한다

비겁한 자 변명거리를 찾으며
현명한 자 방법을 찾는다

자유는 정의롭고 떳떳하지만,
방종은 변명으로 비굴하다

자유는 내 맘에 한 마리 나비 되어 가볍고
방종은 짓눌린 어깨처럼 천근만근 시련이다

# 청춘

젊고 활기찬 시간
무엇이라도 다 이룰것 같은 희망

혈기 왕성하고 의기 가득
사기 충천되어 거침없는 의욕

역경도 굿굿하게 넘을 수 있는
의지를 다지고 또 다지는 청춘

유년시절 뒤로 한체 앞으로 앞으로....
초년에 지득한 좁고 작은 상식의 만찬

넓고 높은 지식을 쌓으며 오르는
청춘은 무엇보다 크고 큰 원동력

세월은 청춘을 장년으로 성장시키지만
나는 세월과 맞서 청춘을 놓지 않으리

생각과 의지는 늘 靑春於濫 일지라

## 뜨락의 봄

싸늘함이 맴돌고 있어도 봄의 전령은 온다
무소불위라 하지만 봄은 아랑곳 하지 않는다

높고 높은 이들도 세월보다 전능하지 못하다
시간이 흐르고 기온이 변하면 마음도 동할 터

아무리 매서운 동장군이 수문을 지켜도
정도, 정시에 찾아드는 뜨락의 봄을 막지 못한다

봄의 전령은 높으나 낮으나 개의치 않고 굳건하다
끝없이 전진하며 인내하고 넓은 도량을 품는다

무소불위의 매서움에도 봄의 전령은 당당하다
정도, 의지, 나와 같은 서민을 위해 굽히지 않는다

그렇게 그렇게 봄의 전령은 서민을 위해 달린다
누가 뭐래도 봄의 전령은 세월과의 우정을 나누며
온화하고 환한 미소를 만든다

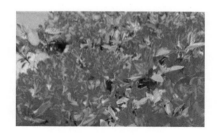

## 아이러니 하다

안경을 쓰고 보면 보일 수도 있고,
색다르게 보일 수도 있다.
역행인지? 순응인지? 알 수 없다.

요지경이다.

하늘을 나는 암수는 아름답기만 한데 시끄럽다 한다.
무엇이 옳은지? 무엇이 그른지? 정체가 없다.

아는지? 모르는지?

나 옳고 너 그르지 않고
너 옳고 나 그르지 않다.

너와 나 긍정으로 보면 웃음이요
부정으로 보면 한없는 적이다.

흥망성쇠는 만인이 원하거늘 어찌 소인배들이 그것을 논하는가?
옳음은 분명한데 왜 그름으로 희석하려 하는가?

옳음은 선행이요 기쁨인 것을...
백성이 원하는 태평성세는 언제일꼬 하노라..


靑松....

# 인연

만나도 인연(因緣)이고, 헤어짐도 인연이다
아름다운 인연도 있고, 슬픈 인연도 있다

악연(惡緣)도 인연이고, 선연(善緣)도 인연이다
악연은 악연대로 교훈을 주고 선연은 선연대로 행복을 준다

나그네도 인연이요 원주민도 인연이다
아름답게 보면 누구나 아름답고, 선남선녀이다

선한 인연만 인연으로 대하며 악수하고
악한 인연은 원수로 대하고 멀리멀리 버린다

선과 악은 공존함에도 선만을 보려 한다
선은 악을 포옹하고 감싸며 하나가 된다

선한 인연과 악한 인연은 하나이며
옳고 그름의 시선으로 보기보다 넓게 함께 하는 것이 인연이다

## 삶이란? 누리는 것!

멈추면 보이는 것들
내려놓으면 편한 것들

앞만 보고 달릴 때 보이지 않던 것들이 잠시 여유를 갖고 멈추면
아름다운 광경이 보인다
목표에 집착하고 달리다 보면 진정 아름다움이 보이지 않을 수
있다

바쁜 일정을 잠시 내려놓으면 소소한 행복과 미소가 보인다
목표 성취란 욕심이 있어 시야를 흐리게 하고 생각을 짧게 만든다
보이지 않던 행복이 욕심을 내려놓으며 보인다

여유를 갖고 보면 사물이 새롭게 보이고 아름답다
여유를 가지면 너그럽고 유연해지며 안목과 생각이 넓고 높다

멈추면 마음이 편안하고 얼굴에 미소가 찾아든다
멈추면 너그러움과 인자함을 겸비하고,
여유를 가지면 세상 부러운 것이 없는 선인이 된다

# 삶

사회에서 높낮이를 따질 때 부와 명예를
직장에서 높낮이를 따질 때 직급과 직위를

부는 사상누각과 같기도 하고 철옹성 같기도 하다
명예는 정도(正道)를 걸으면 있고 오도(誤道)를 걸으면 없다

직급은 경력과 능력으로 쌓이지만 한 장의 종이로 결정된다
직위는 직급에 맞는 높낮이의 단순적 명칭에 불과하다

옛 양반이 말을 타려면 종을 부려야 체면이 서고
현 양반은 돈을 많이 가지고 있어야 목소리가 크다

난 가진 것은 적지만, 과유불급이란 단어가 좋다
소소하지만, 행복이 곁에 있고 사랑이 늘 함께한다

# 여유

벗꽃이 피고 지는 것도 느끼지 못하고 분주하다
시간의 각박함인가, 분주한 나만의 사주인가?

개나리가 방긋 웃으며 봄이 왔다고 알리는데
봄의 향연 소리를 듣지 못하고 발걸음을 재촉한다

어디를 향하는지 무엇을 찾으려는지 목표가 무언지
전진하고 또 전진하며 주변을 돌보지 못하는구나

거리거리에 활짝 웃는 벗꽃은 잠시 쳐다보라고 하고
울타리 개나리는 봄이 왔으니, 마음을 열어 시간을 즐겨보라 한다

이른 아침 종다리는 희망을 노래하며 행복을 전한다
벗꽃길 가로등은 환하게 웃으며 나그네 발걸음을 비춰주네
영롱한 아침이슬과 종다리 노랫소리를 들을 수 있는 나만의 여유
를 즐기며 밝아오는 태양의 온아한 빛을 맞이해 본다

## 목소리 큰 놈이...

목 놓아 불러도 대답 없는 것이 있고
조용조용 말을 건네도 큰일처럼 되는 것이 있다

목소리를 높여 당당한 양 말하고 정당하다 한다
내면은 텅 비어 아무것도 없는 상태로 목소리만 높다

네가 나를 알 수 없듯이 나도 너를 알 수 없다
상대를 신뢰할 때 서로의 믿음은 커지고 웃을 수 있는 것을.....

때론 무식이 용감할 때가 있다
그른지, 옳은지 모르고 옳다고 믿으며 목소리를 높인다

그것이 옳은 것인지도 모르겠다 자기가 옳다고 믿고 전진하는 것
그것이 옳고 그름은 중요하지 않다
내가 바르고 정당한 걸음을 했느냐가 중요하다

그름은 다른 거짓을 만들지만, 옳음은 더 큰 웃음을 만든다
존중하고 배려할 때 행복은 커지고 마음은 세상 부러운 것이 없는
부를 누린다

## 현실이란...

쫓아가 잡으려 하면 멀리 가고
넋 놓고 있으면 어느새 다가갈 수 없다

잡을 수 있지만 잡으려 하면 아우성이 커지고
풀어 놓으면 선량한 이들이 힘들어 아우성친다

논릿값으로 대하려 하지만 변하는 수를 막지 못한다
순리로 대하려 노력하지만, 기득권인가 권세인가?

알 수 없는 논리와 안타까운 현실을 받아들이기라도 하듯
선량한 이들은 꿈틀거리며 몸부림치지만, 극복이 쉽지 않다

전력으로 달리지만 권세를 넘어설 수 없는 현실이 안타깝다
시간이 지나면 당연히,
이 시간은 지나겠지만 시간은 멈추지 않는다

## 익숙하다는 건

스스럼없이 보고 대수롭지 않게 듣는 것
편안하고 당연하다는 듯이 하는 행동

마주치고 본다는 것은 매일 즐거운 일이다
반복되지만 모두 필요한 것들이다

서투르게 묵인하고 지나가는 것들은 아마도
주머니에 손을 넣듯이 자연스런운 행동이 익숙하다

익숙하다는 것은 어쩌면 반복되는 그런 거다
매일 또는 자주 대하는 그런 말과 행동이 익숙하다

즐거운 일을 보면 입꼬리가 올라가고 환하다
슬프면 눈시울이 뜨겁고 두 볼에 폭포가 보인다

익숙하기에 실수하고 망언을 하는지도 모른다
이 정도는 간과하고 이 정도 말은 괜찮아하는 생각

익숙해서 불쾌해지는 불편한 진실들..

# 아이러니

슬픔에 잠겨 눈물이 흐르면 눈이 참 맑아 보인다
기쁨에 함박웃음은 눈이 점점 작아지며 알 수 없다
교실에서 교우 간 다툼이 있어 부상이 우려돼서
책상을 치워줬더니 흥이 나서 더 잘 싸우더라
절벽에서 땀 흘린 손을 내밀어 잡아주니
땀에 젖은 손이 미끄러워 그대로 떨어져 이별이더라
부모를 잃은 슬픔에 젖은 이에게 호상이라고 위로 한다
부모님이 백수를 누리고 영면하셔도 상주는 그 무엇으로도 위로가
되지 못한다

호랑이에게 물려가도 정신만 차리면 살 수 있다
호랑이에게 물려가면 정신을 차릴 수 없고 그길로 황천길이다
열심히 노력하면 뜻을 이루고 웃을 수 있다
알고 노력해야 끝이 보이고 결실이 있는 것이지,
무던히 노력한다고 다 되는 것은 아니다
정직하게 정도를 걸으면 대성할 수 있다

순수하게 정직하면 아첨에 눌리고 바른 정도를 걸으면 도태되어
목표에 늦게 도달되는 세상이다
정의가 반드시 승리한다
일반적으로 정의는 이기는 것으로 알려져 있다
현대를 살아가는 우리는 승리해야 비로소 정의 실현이라고 한다
옳음은 지위고하를 막론하고 옳음이고, 그름은 그름이고
악의는 대가를 치르는 세상이 우리가 희망하는 대한민국이다

## 슬픔도... 기쁨도...

환하게 웃는 얼굴에 눈시울이 뜨겁다
슬픔이 가득 드리운 눈시울이 해맑다
머릿속 생각을 감정이란 놈이 이리저리 표현한다
슬픔은 가슴이 찢어지는 아픔과 허전함이 가득하다

기쁘다고 외치건만 슬픔은 곁에서 자리를 지킨다
생각이 짧고 텅 빈 가슴은 슬픔조차 채울 길 없다
슬프다고 외치건만 미소는 곁에서 자리를 지킨다
극과 극을 달리며 표현하는 모습은 어릿광대 같다

서럽고 시리던 유년 시절 가물가물한 기억이 자리한다
가난하던 그 시절 아팠던 기억은 한 장의 추억이 된다
목 놓아 부르지만 듣는 이 없으며 보는 이 없다
옳다고 목 놓아 외치건만 귀담아들어 주는 이 없다

정의를 외치건만 온데간데없고 청탁과 아첨이다
그른 것을 적시하시만 그 그름에 갇혀 맹인이 된다
옳음이 그름에 가려 그대로 그름이 되고
옳음은 정체성을 잃어 그름에 가려 온데간데없다

흑과 백이 분명하듯 옳고 그름도 분명하다
슬픔과 기쁨이 다르고 울부짖음과 웃음은 구별된다
기쁠 때 미소가 찾아들고 슬플 때 눈물이 찾아든다
기쁨이나 슬픔을 표현하지만 듣는 이, 보는 이 없이
그저 독백의 태도가 될 때도 있다

# 정

정이란 사랑과 우정 같기도 하다
정은 누구에게나 베풀 수 있고 담을 수 있다

남녀 간의 정이 있고, 만남에는 친분과 정이 있다
사회공동체 생활에서 선후배와 돈독한 정이 있다

때론 정이 나를 힘들게도 하지만,
정이 가까이 곁에 있으면 왠지 모를 미소가 머문다

하찮게 여기는 작은 손짓이 큰 힘이 될 때도
쉽게 뱉은 말은 타인에게 시퍼런 칼이 되기도 한다

정은 어쩌면 사랑과 같이 맹목적이어야 한다
방향이 있는 것이 아닌 느낌으로 전해주는 그것

정이 진하지 않지만, 떼어 낼 수 없는 그런 것이고
있는 듯 없는 듯하지만, 끈끈히 당기는 그런 것이..

보이지 않지만 단단하게 붙들어 매어놓은 것!
우리네 인생에 가장 큰 재산이고 베풀 수 있는
미덕이 정(情) 아니겠는가?

# 허전

텅 빈 느낌이 든다
하얀 도화지처럼 느껴진다

일이 가득 한 듯 보이지 않는 듯
표현하고 싶지만 표현되지 않는다

채우려 해도 채워지지 않으며
담으려 해도 담아지지 않는다

잡으려 손짓하지만, 헛손질만 허공을 가르고
가까이서 멀리멀리 있는 듯 손아귀 밖에 머문다

숨을 크게 들이켜지만, 채워지지 않는 텅 빈 가슴
무언지 모르지만 산만하게 있으라고 속삭인다

하늘 향해 주먹질을 하지만 하늘은 대꾸도 없다
땅을 향해 숨을 내쉬지만, 땅은 미동하지 않는다

거산을 향해 말하지만. 대꾸하는 메아리는 없다
강을 향해 돌팔매를 던져도 받아 줄 뿐 묵묵하다

## 전령들

하나둘 소식을 전한다
생명이 활기를 찾는다

태양은 환하게 웃는다
냇물은 졸졸졸 흐른다

하늘을 가르는 새들이
대지 위 분주한 충들이

저요저요 손을 들며 앞다투어
새로운 소식을 전하려 분주하다

파릇파릇 쌩쌩 생명이 넘치는
순간순간이 빛나고 아름답다

희망가득 소식은 함박웃음을 주고
피어나는 아지랑이 가슴을 포근하게 하네

# 아침

매일 찾아오는 아침
변하지도 않고 지각하는 법도 없다

늘 환하게 웃으며 다가와 싱그런 소식을 전한다
오늘은 어제보다 더 해맑고 사랑 가득해지라고 한다

아침은 누구에게나 공평하게 햇살을 나눠주고
하나하나 살들이 챙기며 용기를 북돋아 준다

매일 오는 아침이지만 매일매일 새롭고 신비롭다
새벽 기운을 모두 담아 햇살이 비추면 모두 베푼다

아침처럼 군더더기 없이 있는 그대로의 모습으로
진심을 베풀어 더 큰 행복 웃음을 만났으면 한다

아침은 모두가 새롭고 즐겁게 출발하는 시작점이다
어제의 슬픈 기억은 아침햇살에 모두 녹여 행복한 조형물이 된다

# 아름다움

표현의 아름다움과 지니는 아름다움
풍기는 향과 품고 있는 향

보는 아름다움과 즐기는 아름다움
표현하며 나타난 아름다움 찾아보는 즐거움

밝고 포근한 사물을 느낄 때 아름다움을 본다
입가에 미소가 보이며 발걸음은 가볍게 내딛는다.

미지의 그것! 사랑 가득한 아름다움을 보려 한다
아름다움은 보여주는 것이 아니라 지니며 풍긴다

묵언으로 배려하고 행동으로 보이는 아름다움
보는 이의 마음이 아름다워야 사물이 아름답다

아름다움은 거울에 비치듯 내 마음의 표현이다
내가 웃으면 너도 웃고, 너의 미소가 아름답다

아름다움은 치장하는 것이 아니라 소중한 마음이다
순수하고 꾸밈없는 그 모습 자체가 아름다움이다

# 글의 마음

글을 쓴다는 것은 생각이 살아 있다는 거다
요즘 글귀가 하나둘 사라지는 느낌이 든다

좋은 글귀는 아니지만, 멋진 글귀는 아니지만,
꾸준히 글을 썼건만 텅 빈 가슴과 기억은 슬프다

글은 마음의 표현인가, 상상을 그리는 것인가,
순수하고 진정한 마음을 담는 그런 것이다

글은 묵언의 강한 외침으로 생각을 바로 표현하고
꾸밈없이 그대로 보여주고 마음을 표현하는 것이다

때론 어설픈 표현으로 오해를 불러들이지만,
진정한 맘을 표현해 심금을 울려 감동을 준다

때론 총 칼과 같은 강력한 무기보다 더 강하고
가냘프고 여리디여린 모습으로 가슴을 두드린다

글이란 말로 표현 못 하는 순수함을 만들어낸다
글은 역사이고 그 나라를 대표하는 표현이다

어느 때부터인가 System이 듣지 않는 느낌이다

요즈음...

무언가 답답하고 막힌 느낌이다
글도 미끄러지지 않고 슬며시 제동을 건다

시련이 찾아와 팔짱끼고 손등을 잡는다
뿌리치려고 하지만 좀처럼 떠나지 않는다

부담 나만의 시련인가, 다른 이들도 겪는 그런 시련인가
피부에 닿지도 않고 보이지도 않는다

그저 시린 가슴을 선물하며 눈두덩을 뜨겁게 한다
되돌리려 안 깐 임을 쓰지만 제자리걸음만 배운다

얼른 일어나라고 꽉 잡아보라고 일어서라고...
목 놓아 외치지만 듣는 둥 마는 둥 하고 저 멀리 본다

너는 분명 강하고 성실하게 걸어 왔으니 한 번 더
우리들 가슴에 미소를 되돌려 주겠지 평소 너처럼

아우야 두 발로 서고 두 팔 벌려 만세 만세 만세...!

## 봄비와 커피

모처럼 여유를 잠깐 부리는 시간
빨간 차 택배기사님
소중한 선물을 전달해 주고 가셨다

수많은 화재 현장에서 화재 원인으로 인한 억울함이 없도록
하여야 한다고 사명감을 가지고 언제나 책받침보다 더 얇은
정의를 위해 냉철한 판단을 하고자 애쓰는
이종인 박사님
#화재조사관의 낙서장 2편을 받았다.
받자마자 책장을 넘기는 내 손과 두 눈이 이 박사님의 성품이
그려져 흐뭇하기만....

공정하고, 상식에 맞게 판단해야 하는 고뇌에 힘들었을 모습이
글에서 느껴지니 가슴이 아리기도 하다.
언제나 최선을 다하시고
단순히 안전을 말이 아닌
실천하는 박사님
지켜보며 저는 감사합니다.
소방을 좋아하고 아끼는 사람으로서
무한 응원합니다.


응원글 고맙습니다.

# 세월

누구나 환하게 웃는 얼굴이 대하기 좋다
찡그린 얼굴보다 쫙 펴진 미소가 아름답다

불쾌한 일이 들이대면 미간에 川자가 자리하고
행복이 찾아들면 나의 입은 八자로 변한다

이마에 새겨진 문신은 골이 깊어지고 숫자를 더한다
살며시 문신을 가리던 머리칼도 등돌려 하나둘 소리 없이 떠난다

즐거우면 하늘 향해 입꼬리를 치켜들어 백옥을 들어내고
힘들면 검은 눈썹이 힘이 들어 갈매기 날개처럼 보인다

탱탱하던 볼은 살며시 웅크리며 추억을 그리고
당당하던 턱은 어느새 여러 계곡으로 화장하고 있다

꼿꼿하던 등은 부드러운 곡선을 만들어 겸손하고
날씬하던 복근은 어느새 넉넉함을 더하여 푸근하다

열심히 뛰고 또 뛰던 다리는 잠시 쉬며 숨 고른다
철근도 씹던 백옥은 하나둘 금으로 치장하고 있다

멀리 보며 깊이 생각하고 가까이 있는 것은 탐하지 말아야 하고
시답지 않은 이야기는 귀에 담지 말고 흘리라 한다

세월이려니....

# 동경(憧憬)

바다는 출렁출렁 찾아와 육지를 깨우고
육지는 화답하듯 보드러운 갯벌을 깔아 맞이한다

바다는 전령, 파도를 보내어 아름다움을 전하고
육지의 환영에 너울너울 파도는 춤을 춘다

파도 춤에 갈매기는 덩실덩실 하늘을 가르고
파도 장단과 어우러져 춤과 노래에 흠뻑 취한다

파도의 향연이 끝나고 육지를 향해 공손히 절하고
육지는 대지의 큰 사랑으로 파도를 따듯이 품는다

육지는 파도를 맞으며 쓰라린 아픔을 달래고
파도는 사랑의 약으로 상처난 갯벌을 치유한다

바다는 파도로 육지는 대지와 갯벌로 길을 만들어
물길을 열고 갯벌을 만들어 대지를 숨쉬게 한다

바다와 갯벌은 하나되고, 육지와 갯벌도 하나되며
서로를 보정하고 보듬으며 사랑으로 멋지게 하나된다

# 봄

봄봄봄이 왔어요 와(蛙) 얼굴 내밀며 인사하고
봄을 알리는 전령들이 하나둘 모습을 드러낸다

상수리 낙엽으로 이불을 만들어 솔잎으로 수놓아
눈꽃 송이 소복이 쌓아 덮고 있던 이불을 걷어낸다

대지는 크게 숨 쉬고 수선화는 두 팔 벌려 기지개를 켜고
덮었던 낙엽 이불을 살며시 걷어내며 일어난다

환하게 밝은 얼굴을 드러내며 행복을 선물하고
봄의 얼굴은 함박웃음을 지으며 행운을 선물한다

봄이란 이름을 가진 만물이 평온한 사랑을 하고
하늘을 나는 한 쌍의 까치는 봄을 알리며 사랑한다

따듯한 햇살도 봄을 즐기며 아지랑이 친구 되어
온아하고 포근한 봄의 아름다움을 노래한다

# 소식

소식을 전하려면 전령이 필요했다
글을 몰라 구전하여 말을 전하고 오해도 있다

소식을 전하려면 서문을 전달 했다
작은 글씨는 못 볼까? 붓으로 큼지막하게 적어 보냈다

소식을 전하려 우정국을 이용했다
작은 글씨로 빼곡히 적어 못다 한 정을 담아 보냈다.

소식을 전하려면 발전기를, 교환수를 통했다
전화선을 이용해 육성으로 훈훈한 소식을 전했다

소식을 전하려면 다이얼을 돌렸다
다이얼을 돌려 직접 호출하고 사랑을 전했다

소식을 전하려면 휴대전화 번호를 터치한다
원하는 이와 언제 어디서나 쉽게 대화한다

전자매체를 이용하여 글도, 모습도 보낸다
글로 표현하지 못한 것은 영상과 대화로 알린다

현대는 소식을 전하려면 생각만으로 가능하겠다
내 뜻을 강한 텔레파시(telepathy)로 전달할 수 있으리라....

## 하얀 이불

낮에는 슬퍼 눈물을 흘리다가
밤에는 슬픔이 서리되 내리네

낮에는 시원스레 세상 이물을 씻어주듯 내리고
밤에는 따듯해지라고 하얀 눈꽃 이불을 덮어주네

낮에는 앙상한 두 팔을 벌려 하늘을 포옹하려 하네
밤에는 차가우며 따듯한 하얀 이불을 덮고 서있네

낮에는 슬픈 해님을 보며 마음을 다독여주고
밤에는 살며시 솜사탕 달콤함으로 포옹한다네

낮에는 밝은 태양이 우리를 비추어 힘을 실어주고
밤에는 아름다운 은하수를 이뤄 평온함을 준다네

낮에는 희망 가득 행복한 미소를 선물하고
밤에는 평온해지라고 온화함으로 품어준다네

# 햇살

쉬는 날에도 어김 없이 찾아드는 햇살
희망가득 빛의 선물은 쉼 없이 비춰주네

세상 힘든 일을 모두 햇살에 녹여 보내고
새로이 행복쟁반 가득 사랑을 채워주네

따스함을 담으려 욕심을 부려도 담아지지 않으며
소유하려 하여도 머물지  않고 아낌없이 나눠주네

포근함을 담은 따스한 햇살은 대지를 품으며
새 생명을 깨워 활력과 아름다움을 선물하네

따스한 햇살은 세상모든 근심을 살포시 녹이며
희망과 행복으로 사랑의 꽃을 피워 세상을 덮는다네

오늘을 따스한 햇살과 함께 두 팔 벌려 환영하며
사랑 가득한 웃음으로 열어본다.

## 친구여

짓궂게 놀아도 친구
우정을 나눠도 친구
자네와 난 어릴 적 친구네

멀리 있어도 서로를 생각하고
가까이 있으나 들어내지 않으며
말보다 행동으로 베풀고 감싸는 친구

부딪히는 술 한잔에 서로의 맘을 알고
한마디 한마디가 힘이 되는 덕담으로 다가서고
슬며시 하나하나 나누며 여유를 선물하는 친구

너는 은하수 이부자리에 밤을 지키고
다른 너는 바닷가 외로운 집에 낭만을 지키고
또 다른 너는 성냥갑 같은 보금자리를 지킨다

변치 말자 했던 우정은 하늘의 별이 되어 반짝이고
함께 여행 했던 산과 바다는 추억이 되어 멋들어진 향기를 풍기고
우리 사는 세상 힘찬 즐거움이 가득하게 가꾸어 보세나

# 넉넉함

좋게 보면 한없이 이로운 것이고
나쁘게 보면 한없이 부덕한 것이요

오렌지색 밝으므로 웃으며 멋을 내는 것이고
붉은색 붉힘으로 찡그려 불쾌감을 주는 것이요

맑은 재는 하얀 눈송이 꽃이 되어 휘날리고
숯검댕은 검게 치장하고 먼지 되어 날리는 것이요

이마엔 이슬이 송골송골 등골엔 폭포수가 흐르고
한 발 한 발 징검다리 건너며 하나라도 더더더...

이롭게 쓰면 이롭고 눈 꽃송이처럼 화려하며
그르게 쓰면 괴롭고 검은 숯이 되어 사라진다

이롭고 그른 것은 군자의 마음가짐이요
하얀 눈과 검은 재는 확연한 참과 거짓이다

시냇물과 잔잔한 강물은 같지만, 사뭇 다른 것을...

# 너와 나

보잘것없는 나
멋들어진 너

가진 것 없는 나
넉넉한 너

학습하는 나
복습하는 너

열심히 뛰는 나
여유로 걷는 너

세상을 너그러이 보는 나
세상을 분주하게 보는 너

창과 방패는 상반되는 상징이지만
서로의 단점을 보완하고 보정한다

둘은 하나처럼 어울려져 조화를 이뤄 멋을 만든다

# 홀로

홀로 산다는 것은 쉽지 않다
하나는 외로워 둘이고

젓가락은 하나만으로 사용이 어렵다
두 손이 있어야 손뼉을 치고

두 발이 있어야 여행하기 쉽고
한 손, 한 발만으로 표현이 쉽지 않다

홀로 생각하는 것은 넓음이 쉽지 않을 수 있다
토론할 상대가 있어 의견교환이 있어야 쉽고

여러 의견이 모이면 좋은 결론을 얻을 수 있다
홀로 뛴다는 것은 외로움이 될 수 있다

독주하는 것은 외로움과 고독이 있고
함께하는 마라톤은 지치지 않고 완주할 수 있다

선과 악, 너그러움과 아집이 공존한다
내가 옳고, 네가 그르다 하는 의견이 있고
어우러져 좋은 결과를 만들어 행복을 노래한다

## 사이렌

다급하게 울리는 사이렌
모두 모두 비켜라 애타는 마음

저마다 바쁘고 분주하지만
사이렌 소리는 더 바쁘고 급하다

비키라고 양보하라고
빨리빨리 급하고 급하다

사이렌 소리가 크다
목 놓아 부르고 또 부르고 있다

발을 동동 구르고 있다
우리는 사람을 구하는 사람들이다

한 사람이라도 한 재산이라도
사람을 구하는 일보다 바쁘냐, 양보해라

길을 열어라 길을 열어
사람의 생명보다 급한 것이 무어냐?

# 부와 장수

낮을 즐기며 온 세상에 부를 전하는 쇠부엉이
밤이 낮인 양 밤을 즐기며 부를 전하는 솔부엉이

부엉이는 여러 설을 품는다
저승사자 부엉이

부엉이가 울면 하늘의 별이 된다고 전한다
불효자 부엉이

부모를 해한다고 하여 선조는 선호하지 않는다
부의(賻儀) 상징 부엉이

부엉이는 먹이를 잡아 쌓아 놓는 재물의 상징이다
장수의 상징 부엉이

묘두응(猫頭鷹)으로 부엉이는 장수의 상징이다
고양이 얼굴의 매라 부르기도 하였다고 한다

# 무제

듬직한 곰은 재주를 부리고 흥을 돋우지만
재물은 왕서방이 챙긴다

꿀벌은 열심히 꿀을 모아 저축하지만
달콤한 꿀은 왕서방이 챙긴다

원숭이는 나무에 올라 야자를 수확하지만
시원한 야자수는 왕서방이 마신다

태양은 낮을 환하게 밝히고 희망을 주지만
달님은 밤을 은은하게 밝히며 평온을 준다

삽살개는 달을 보고 짖지만
백조는 태양을 맞으며 우아함을 뽐낸다

얇은 이는 겉모습으로 향기를 풍기지만
깊은 이는 지니는 멋으로 향기를 풍긴다

# 사람 사는 세상

거리를 걷다 보면 빨간 사람, 파란 사람도 지나고
시원한 바람도, 제법 쌀쌀한 바람도 지난다

옷깃을 스쳐도, 얼굴을 마주 보아도 인연이고
식탁에 앉아 맑은 잔에 정을 담아 나눈다

맑은 잔에 서로의 사랑과 덕담을 가득 담아
부딪히는 잔에 취해 진언으로 담화를 이어간다

어렵고 힘들어도 굳은 의지로 헤쳐 나가며
정을 담은 잔으로 새로운 다짐을 한다

다 잘될 거야 시간이 지나면 사그라들고
어느덧 성공이 나의 팔짱을 끼고 옆에 있다

정을 나눈 모든 이에게 미소와 행운을 선물하며
사는 것이 우리네 인생사가 아니겠는가

세상이 둥그니 거기 사는 사람 마음도 둥글고
모두가 둥글둥글 행복으로 가득하길 바랍니다.

봄날 찾아드는 싱그러운 녹음처럼....

# 하늘의 별이 된 꽃

보슬보슬 소리 없이 온 누리에 내리나
빗물처럼 촉촉이 눈송이처럼 포근하게

쉼 없는 모습으로 곳곳에 스며들듯 다가와
마음을 차분하게 평온함으로 가라앉힌다

때론 눈송이와 한 몸으로 어우러져
눈송이인 듯 빗물인 듯 뜨겁게 흘러내린다

가슴에 하나 가득 품어 내면에 드리우고
그저 품은 듯 안은 듯 사랑으로 감싼다

따듯한 마음은 대지에 심어 아름다운 꽃을 피우고
그대들은 하늘의 별이 되어 은하수를 이루는구려

열정으로 못다 한 뜨거운 사랑은 대지에 남기고
아름다운 꽃을 보는 만인의 두 볼을 뜨겁게 적신다

# 봄

겨울 얼음이 녹아 시냇물을 흘리고
졸졸 흐르는 물은 활기차게 흐른다

산새들 기지개를 켜고 시냇가에 앉아
맑은 물을 빌어 아름답게 치장하며 웃는다

옹달샘 옆 이끼는 파릇파릇 생명이 솟고
이끼를 품은 바위는 듬직하게 자리한다

한 방울 한 방울 녹아드는 겨울은 봄을 부르고
수줍은 듯 찾아온 온화함은 봄의 포근함이다

만물이 기지개를 켜고 행복한 미소를 나누며
동면하며 품고 있던 사랑을 앞다투어 내놓는다

시냇물이 소리내어 활기를 넣고 산새들은 훨훨
아지랑이와 초목은 멋진 미소로 봄을 맞는다

# 변함없는 것들

호랑이가 풀을 뜯는다고 하여도 호랑이고
사자가 아무리 약하다 하여도 동물의 왕이다

하늘을 나는 황새는 물 위를 거닐어도 황새이고
바다 위를 나는 날치는 힘차게 날아도 물고기다

낮은 환하고 활기찬 모습으로 열심히 뛰고
밤은 고요해 평온한 모습으로 휴식을 한다

겨울 동장군은 냉혹하며
봄의 개나리는 온화하다

지구는 둥글고 매일 움직이고
해님과 달은 매일 같이 서로를 바라본다

기차 레일은 매일 같은 자리를 지키지만 만나지 못하고
밤이 아무리 어두워도 아침엔 환하게 미소 짓는다

## 제왕인가?

하늘을 거침없이 나는 독수리
하늘의 제왕인가? 보스인가?

독수리 위로 나는 새 없고, 아래로 숨는 새 많다네
날개 그림자에 어여쁜 새들은 날개를 감추고 숨는다

태산을 거침없이 누비는 호랑이
산속의 제왕인가? 보스인가?

호랑이보다 먼저 뛰는 넘 없고, 뒤로 숨 동물이 많다네
발걸음 소리에 피하고 숨소리에 숨는다

바다를 거침없이 누비는 고래
바다의 제왕인가? 보스인가?

고래보다 앞서는 물고기 없고, 뒤따르는 물고기 많다네
함박웃음 입을 피하고 물을 가르는 꼬리를 피한다

하늘을 지배하고, 숲을 달리며, 바다의 물살을 가르고 누비는 것은
하나의 삶인가 하노라

# 정(情)

정이란
바람 없이 주는 거다
사랑은 나눠줄 때 넓고, 높게, 강하게 보인다

정이란
성취감이다
행복을 느끼며 즐길 때 더 크게 찾아든다

정이란
봉사자이다
하나둘 베풀 때 모두의 얼굴에 미소가 찾아든다

정이란
고즈넉한 메아리이다
소리 없이 전하고 교감할 때 두 볼에 찾아든다

정이란
순수한 마음이다
말하지 않아도, 손짓하지 않아도 심금을 울린다

## 잠깐의 낙서

龍은 승천해야 비로소 踊이고
山은 木을 품어 林이어야 山이고
江은 水를 품어 魚를 담아야 康이고
天은 雲을 품어 淸을 보여야 韉이다

이용(螭龍)을 용이라 할 수 없고
나무가 심어져 있다 하여 모두가 산이 아니며
물고기가 노닌다고 하여 강이라 말할 수 없고
구름을 품었다 하여 하늘이라 말할 수 없다

사물은 제 분을 다할 때 비로소 이름을 가지며
사물을 그것이라 할 때 모든 이가 인정할 것이다
춘하추동이 뚜렷하듯 사물도 뚜렷하며
정도(正道)는 구부러진 길일지라도 바로 걷는 것이다

## 반가움 이려오

바람을 밟고 살금살금 찾아오는 이
나그네처럼 정처 없이 여행하는 이

시간의 흐름에 편승하여 세월을 여행하는 이
곡차에 몸을 싣고 오솔길에 갈지자를 그리는 이

두 팔 벌려 너도나도 반갑게 맞으며 환영하는 이
짓궂게 했어도 용서하며 다소곳이 맞아주는 이

쉽지는 않지만 너그러움을 보이며 포옹하는 이
세상사 그러려니 하며 긍정으로 바라보는 이

힘들 때 찾아들어도 미소 지으며 맞이하는 이
액운은 모두 모두 용서했다고 흔쾌히 말하는 이

너털웃음으로 맞으며 반가움을 보여주는 이
만나면 반갑고 헤어지면 서운한 것이 인연인 것을

모두가 미소 짓고 환영하는 반가움 이려오

# 바람

맞부딪히는 바람이 차다
이마에 부딪히는 바람은 힘이 세다

볼에 부딪히는 바람은 볼을 스치지만,
나는 따갑고 무척이나 시리고 시리다

목을 스치는 바람을 슬며시 찾아들어도
나는 거북목이 되어 옷깃과 한 몸이 된다

손등을 간질이고 지나가는 바람이 손짓하지만,
선뜻 손을 내밀기 망설여지는 것은 흔들림인가

머리를 흔들고 지나는 바람은 무언가 알리지만,
정확히 전달함 없이 이리저리 분주하게 지난다

안경 너머로 찾아드는 따스한 서리는 포근한 듯
불편함을 선물하며 서두르지 말라고 잡는다

바쁘게 걸어 왔으니 조금은 조금은 천천히 가라고
슬며시 다가와 안아 주는 여유로운 바람 이려오

## 만남

어둠이 짙게 드리우면 밤하늘 은하수를 만납니다
별들이 환하게 웃는 모습은 아름다운 자체입니다

밤이 깊을수록 아름다운 만남도 깊어져 갑니다
은하수와 밤이 주는 선물은 영롱한 이슬입니다

이슬은 반짝이며 다가와 수정같이 맑은 미소를 선물합니다
새벽은 힘차게 솟는 태양에 하루를 양보합니다

인연이 되고 아쉬운 작별을 하지만, 늘 함께합니다
어두움은 은하수를 아름답게 하고, 은하수는 이슬을 내려 대지를
아름답게 하며, 이슬은 태양을 맞아 아름다운 생명수를 대지에
선물합니다

만나고 헤어짐은 삼라만상의 오묘함입니다
우리네 인생도 순회하는 번뇌처럼 빼곡히 펼쳐진 인연과 헤어짐은
만남의 반복입니다

# 이렇게...

동장군이 찾아 들면 환영해 맞으세요
칼바람을 선물해도 즐겁게 받으세요

눈보라가 찾아 들면 행복하게 맞으세요
비 올 구름이 찾아 들어도 긍정으로 맞으세요

동장군은 왕성하니 겸손하게 기운을 맞으세요
에너지 넘치는 좋은 기운을 웃으며 맞으세요

한파라 알려진 시베리아 시원한 바람을 맞으세요
영하의 기온도 사르르 녹이는 포근함을 맞으세요

찬바람이 옷깃을 스쳐도 모른 채 여미며 맞으세요
세찬 바람 이기고 핀 동백의 아름다움을 맞으세요

즐겁게 보면 모두가 즐겁고, 꽃으로 보면 모두가 아름다운 꽃이다
들어 핀 이름 모를 꽃도 소박함으로 화장하고 활짝 웃는 미소는
세상 무엇과도 비교할 수 없습니다

# 일기

하루에 한 번씩 쓰는 글
매일 찾아오는 새로운 현실
반복되는 일상에 새로운 변화가 있다
같은 생활인 듯하지만, 신기한 변화가 있다

출근길 차들도 매일 달리지만 목적지가 다르다
하루하루 일상이 새롭고 사물이 반갑게 맞아준다
새벽을 열어 아침을 맞고 아침을 열어 하루를 연다
희망에 가득 시작하고 하나둘 채워가며 하루를 완성한다

크고 작은 일, 슬프고 기쁜 일, 아프고 상쾌한 일
모두가 스쳐 지나가고 감내하며 미소를 만든다
하루살이처럼 분주하기보다는 여유로운 마음으로
매일 치솟는 태양처럼 힘차고 멋지게 비상하자

열정으로 뛰고 긍정의 도구를 사용하여 성공으로 답하는 하루를
만들자

# 긍정!

잘못된 부분이 있다면 바로 잡는 것이 지극히 타당하고,
바로잡을 수 있는 위치에 있다면 당연히 귀담아듣고
법령에 부합하도록 하는 것이 근무하는 태도 일게다
자신의 영달이나 체면을 위해 묵과하고 지나가는 것은
비겁자 중 비겁자이다.
己所不欲勿施於人 이 말은 논어에 있는 말로 자기가 하기 싫은
일은 남에게도 하게 해서는 안 된다는 말이다.
즉 내가 하기 싫은 일은 남도 하기 싫다.
하지만 꼭 해야 하는 일이 있다면 싫어도 즐겁게 해야 하고,
필요치 않은 일을 조금씩 개선하며, 함께하면 고통도 난해함도
슬며시 자취를 감추는 것을.....
우린 대한민국 소방공무원이다.
저마다 思考 能力이 있는 성인들이다.
그렇다면 言行一致 되어야 한다.
앞에선 옳고, 뒤에선 틀린다?
옳은 말은 하면 한 번쯤 들어봐 주고, 생각한다면 불신은 줄어들
것을.....
들어줄 위치에 있다면 충분히 검토하고,
易地思之로 한 번만 한 번만 되새겨 준다면 무언가 해결책이나
화합할 수 있는 결론이 나올 수 있을 것 같다는 짧은 생각이
뇌리를 스친다.
불만은 불신을 낳고, 긍정은 미소를 낳는다.
상하 신의하고, 긍정한다면 보다 밝은 생활을 할 수 있으리라

어느 월요일에....

# 내가 너라면

내가 너라면 그렇게 하지 않을 것이다
내 철학이 옳고 네 철학이 그르다

네가 행한 행동은 오만하고 그릇된 것이다
내가 하는 행동은 정당하고 지극히 옳은 것이다

이런 사고는 아집이 아닌가
상대가 어떤 마음으로 행하는지

어떤 상황에서 그러했는지
너그러이 보고 현명한 답을 찾는 것이 현인의 삶이 아니던가

그릇된 생각이나 행동은 그릇된 학습에서 나온다
내가 너라면 바르게 학습하고 행동하였을 것이다

쉽게 속단하고 결론을 내어서는 안 된다
내가 너였어도 그렇게 행하였을 것이다

"내가 너라면 더 잘할 수 있을 것이다"
"내가 너라면 더 좋은 성과를 냈일 것이다"

상대를 평가하지 말고 있는 보이는 그대로 보고
순수하게 받아들이며 이해하고 넓게 넓게...

# 습관

반복되는 일상을 습관이라 한다
좋은 습관 게으른 습관 때론 하지 말아야 할 습관
스스럼없이 행하는 행동이나 언변이 있다
별일 아니지, 이상 없지, 이 정도야 하는 생각이다
습관이 나를 부지런하게 하고
습관이 나를 성공하게 하며
습관이 나를 게으르게 하고
습관이 나를 실패하게 한다
부지런은 나의 몸을 가볍게 하고
얼굴에 미소를 가득 품게한다
성공은 나와 주변을 활기차게 하고
즐거움과 너그러움을 함께 할 수 있다
게으름은 나를 점점 도퇴하게 하고
순간 편안함에 착각하며 옳은 양 느낀다
실패는 나를 더 작게하고 위축되게 하며
치유하기 힘든 병마처럼 생활 깊이 찾아든다
습관은 시나브로처럼...
오늘의 게으른 습관은 내일을 힘들게 한다
오늘 일을 내일로 미루고 내일 일은 그다음로...
부지런한 습관은 나를 가볍게 하고 미소 짓지만
게으른 습관은 나를 무겁게 하고 주름을 늘린다
늦지만 하나하나 풀어내는 긍정의 습관으로
급하지 않게 미소를 찾으며 걷는 습관이 좋다
오늘도 천천히 걸으며 다가올 내일의 행복을 본다
습관처럼 오늘도 웃으며 긍정으로 시작해 본다

# 흑과 백

흑은 백이 있기에 백은 흑이 있기에 돋보인다
서로를 보정하지만 서로 다른 뜻을 품는다
흑은 어두움을 상징하고
백은 밝음을 상징한다

흑은 조용하며 엄숙함을 품고
백은 활기차고 명랑함을 품는다
흑은 백이 가까워질까 걱정하고
백은 흑이 가까워질까 두려워한다

흑과 백이 합쳐지면 새로운 것이 보이고
창조인지 변질인지의 구별은 사뭇 다르다
창조라 말하는 이 변질이라 말하는 이
옳고 그름이 있겠는가?
흑은 어찌 보면 시작을 의미하고
백은 달리 보면 황혼으로 비치기도 한다

흑과 백은 어쩌면 순수함의 상징이 아닐는지
모든 것을 내려놓을 때 흑색으로 보이고
새롭게 시작할 때 백색으로 시작을 알린다
흑과 백은 처음과 끝의 상징일 수 있고
순수하고 아름다운 상징일 수도 있다
흑과 백처럼 사뭇 다르지만, 서로를 동경하고
흑과 백은 어쩌면 동질의 내면이 아닐는지...

# 눈을 감으면

눈을 감으면 보이는 것 없는 것 같지만
마음에 눈으로 더 많은 것을 본다

현실에 보이는 사물들이 조화로이 아름답다
지그시 눈 감으면 보이는 풍경이 더 아름답다

눈을 감으면 마음에 문이 열려 넓고 높게 보인다
눈을 감으면 저 멀리 보이는 지평선이 하나 된다

눈을 감으면 현실에 즐기는 즐거움보다 행복하다
정돈된 마음처럼 거리는 깨끗하며 사람은 정겹다

눈을 감으면 마음이 모두가 선인인 것을...
선한 이 악한이 없이 모두가 천사이로세

눈을 감으면 맑고 선한 혜안으로 사물이 반듯하다
평온하며 화려하고, 화려하면서 순수한 아름다움이 내 것인 것을...

눈을 감으면 힘들고 힘든 시련은 잠시 자취를 감추고
행복의 길이 나를 반기며 긍정의 힘을 북돋는다

어느 겨울 아침에...

# 문득

대한민국 모든 국민은
"모든 국민은 인간으로서의 존엄과 가치를 가지며, 행복을 추구할
권리를 가진다.

국가는 개인이 가지는 불가침의 기본적 인권을 확인하고 이를
보장할 의무를 진다."

"모든 국민은 인간다운 생활을 할 권리를 가진다."
"국가는 재해를 예방하고 그 위험으로부터 국민을 보호하기
위하여 노력하여야 한다."

출근길 문득 생각나는 헌법 조문!
왜? 이 조문이 뇌리를 스칠까?
잠시 사색해 본다.

대한민국 국민이면 주권이 있고 권리가 있다.
누구나 행복할 권리!
국민의 행복을 지키기 위해 헌신하는 것이다.
국가정책은 국민의 권리와 의무를 지켜야 하고 행복추구권을
보장해야 한다.
헌법을 수호하는 것이고, 대한민국을 아름답게 하는 것이다.

출근길 뜬금없이 뇌리를 스치는 생각을....

## 하나둘

게임이나 운동경기에서 순위의 의미는 무얼까?
단지 숫자일 뿐인데 우린 많은 집착을 한다
1이란 숫자를 위해 열정을 퍼붓고
1이란 순위를 위해 노력을 하면서
1이란 자리를 위해 주변을 누르며
1이란 순서를 위해 장시간 기다림
1이란 무엇을 위해 그렇게 소망하는가?

최고를 위해?
최고는 허전하고 외로운 길을 걸어야 한다
2와 3같이 함께할 숫자도 없이 외로운 지킴을...
1은 혼자라 외롭고 자리를 내어줄까 고심한다
최고보다는 최고를 위해 노력하는 열정이 좋다
1은 늘 눈치를 보며 주변을 살피며 경계한다
1의 주변에 함께하는 이 보이지만 함께하는 이 적다
1은 그래서 외롭다

1은 2보다 많은 것을 가지지만, 누리지는 못한다
2는 부족한 것 같지만 너와 내가 함께한다
위로 아래로 함께하고 어우러질 사람이 있다
1보다 2가 행복함에도 우린 1을 고집한다
2의 어우러짐과 아름다움이 나는 더 좋다

어느 날 행복을 보며...

## 은하수 별들

하늘에는 수많은 별이 있다
천사 같은 아름다움으로 승천한 별

뜨거운 봉사 정신으로 승천한 별
타의에 의해 승천한 한 많은 별

세상사 시련에 못 이겨 승천한 별
이런 일 저런 일 다 겪고 승천한 별

화마와 힘겨루며 구조 손길을 내밀고 승천한 별
힘든 병마와 힘겨루며 천사처럼 승천한 별

은하수는 이들이 모여 아름다움을 보여주는 거다
내가 숨 쉬고 있는 이곳에서 승천한 별들을 본다

한 많은 별은 하늘에서 평온을 찾으며 의지하고
평온한 별들은 여러 아픔을 아우르며
옹기종기 모여 남겨진 이들을 응원한다네...

## 하늘은...

하늘은 늘 변화하지만, 변하지 않는다
얼굴은 변하지만, 근본을 지키며 우직하다
하늘은 청명하지만, 청명하지 않다
푸르고 푸르지만, 뒤로 먹구름을 숨기고 있다
하늘은 높고 높지만, 낮고 낮게 한없이 가깝다
끝이 없이 보이지만, 늘 가까이 다가와 있다
하늘은 묵묵하지만, 요란스럽다
평온하게 자리를 지키지만, 천둥 · 번개를 숨긴다

하늘은 내려다보지만, 늘 올려다본다
내려 보는 것 같지만 올려 보는 것이 하늘이다
하늘은 옆에 있지만, 옆에 없다
옆에서 보이지만, 옆에 없고 늘 저 멀리 있다
하늘은 도화지 같지만, 그림을 그릴 수 없다
그림을 그려도 볼 수 없고 늘 지워지고 새롭다
하늘은 높고 강한 것 같지만, 한없이 해 맑다
높고 웅장해 보이지만, 하늘색처럼 순수하다

하늘은 아저씨 같지만 아버지와 같다
힘들어도 내색도 표현도 없는 것이 하늘이다
하늘은 세상을 품은 어머니와 같다
슬픔과 즐거움을 품고 인내하며 사랑을 전한다
하늘은 여리디여리지만, 여리지 않다
봄 햇살처럼 포근하지만, 여름 강한 태양처럼 교훈을 알려준다.

# 바다

시원한 바람을 벗 삼아 너울과 어울려져 하나 되어
너울너울 사연을 담아 멀리멀리 알리려 하나?

하나둘 쌓이는 사연은 해변 백사장 나그네 되어
파도 소리 무아레를 뽐내며 방청객을 즐겁게 한다

살랑살랑 파도 너울은 수많은 사연 담아 전하려
오늘도 어제처럼 분주하게 갈 길을 재촉한다

사연을 아는 듯 갈매기는 너울 위로 날갯짓하고
수평선 멀리까지 배웅하고 연락선 위에 앉는다

행운을 너울에 담아 하나둘 세심하게 전달하고
모두가 사랑 가득해지라고 잔잔함으로 함께한다

슬픈 사연, 행복한 사연, 사랑 가득한 사연,
희로애락을 모두 담아 슬픔은 파도가 넘기고
기쁨은 너울되어 잔잔하게 그대품안에 ...

## 겨울 여백

밤하늘을 수놓던 은하수는 살며시 자리를 내어주고
영롱한 아침이슬은 반짝이는 수정을 만들어 대지에 수놓는다

높은 하늘을 날던 황새도 대지 위에 앉아 희망 가득
아침의 아름다움을 즐긴다
청명한 하늘에 신선한 향기를 뿌리며 태양을 반갑게 맞이한다

아침 발걸음을 사뿐히 사뿐히 옮기며 희망을 밟아 행운을 얻는다
태양은 섬광이 되어 그대에게 행복과 사랑을 콕 찔러 챙겨준다

영롱한 이슬은 아침이 익을수록 반짝임을 더하고
넓은 세상에 태양의 온유함으로 행복을 전하며 수정 같은 이슬로
맑은 사랑을 선물하며 온 대지를 덮는다

겨울이 주는 아름다움 이려니.....

## 계획

밤을 열어 새벽을 밝히고
하루를 열어 한 달을 계획하며
한 달을 열어 일 년을 계획합니다

어제 일을 되새겨 내일을 설계하고
마음을 다잡아 다짐하며 실천의 의지를 굳히며

모든 일에 성공할 수 있는 굳은 의욕을 충전하고
최선의 노력을 아끼지 않겠다고 굳게 다짐합니다

멈추지 않는 한 실패는 없다는 좌우명을 상기하고
전진하며 실천하여 목표를 완성하리라 다짐해 봅니다

갑진년 포문을 열어 청룡의 기운을 받아 기지개를 켜고
다짐하고 또 다짐하며 게으름은 멀리하고 바지런을 떨며 청룡을
맞이합니다

# 세월의 흐름

소리 없이 왔다가 조용히 가는구나
희망 가득 안고 폴짝폴짝 뛰어서

생명수를 선물하고 생기를 불어넣으며
행복 가득 사기충천 하여 출발했다

이글거리는 태양도 퍼붓는 빗줄기도 모두가 선물

태양의 심술에 그늘을 찾아 눈치 보며 숨을 고르고
넘치는 너의 사랑에 오열하는 이도 많았다네

세월은 멈출 수 없다고 달리며 풍성함을 나누고
하나둘 생각에 잠겨 고개를 떨구고 사색하누나

조용히 유유자적 하면서 풍류를 읊으며 즐기라고
모두 아름다운 색동옷으로 갈아입고 여행하네

함박눈으로 하얀 오솔길을 만들어 축복한다네
멈출 수 없는 나그네는 작은 미소로 화답하며

모든 액운을 봇짐에 넣어 함께 가니 행복하게 지내라고
푸른 용의 기운으로 건강, 행복, 사랑, 명예, 부귀 가득 선물한다네

## 사계

소리 없이 왔다가 조용히 가는구나
희망 가득 안고 폴짝폴짝 뛰어서

생명수를 선물하고 생기를 불어넣으며
행복 가득 사기충천 하여 출발했다

이글거리는 태양도 퍼붓는 빗줄기도 모두가 선물
태양의 심술에 그늘을 찾아 눈치 보며 숨을 고르고

넘치는 너의 사랑에 오열하는 이도 많았다네
세월은 멈출 수 없다고 달리며 풍성함을 나누고

하나둘 생각에 잠겨 고개를 떨구고 사색하누나
조용히 유유자적하면서 풍류를 읊으며 즐기라고

모두 아름다운 색동옷으로 갈아입고 여행하네
함박눈으로 하얀 오솔길을 만들어 축복한다네

멈출 수 없는 나그네는 작은 미소로 화답하며
모든 액운을 봇짐에 넣어 함께 가니 행복하게 지내라고

푸른 용의 기운으로 건강, 행복, 사랑, 명예, 부귀 가득 선물한다네
청룡의 기운으로
 새해 만인이 행복 가득하여지라고 힘차게 외쳐봅니다.

## 겨울 하늘

별들은 밤을 친구 삼아 밤하늘을 지킨다
밤을 지키던 별들은 새벽 아침 바람처럼 떠나간다

밤사이 반짝이며 사랑으로 시련을 감싸안는다
별들은 함께하자고 은하수를 불러 모은다

어둠이 짙으면 짙을수록 별들은 반짝이며 웃는다
밤은 애달픈 사연에 어둠과 함께 무게를 더한다

달님은 밤과 별에 사랑의 빛을 고루 나눠준다
달빛에 별들은 은하수를 만들어 하늘을 밝힌다

밤하늘 어두움과 별 그리고 달님은 가족이런가
서로를 보충해 주고 감싸주며 매일 함께한다

어둠은 별을, 별은 달과 어우러져 은하수를
만들며 겨울 밤하늘을 따듯하게 한다

# 눈

소리 없이 내리는 새하얀 눈
제각기 품은 뜻도 다르네요

행복을 크게 담은 함박눈
시련을 작게 담은 싸라기

함박눈은 나뭇가지 위에 소복이
따듯한 솜털 옷을 선물하고

싸라기는 대지 위에 살며시 내려앉아
아픔을 잊으라고 낙엽 뒤로 숨네요

하늘에서 행복과 시련을 포장해
함박과 싸라기로 보여주네요

함박처럼 행복을 느끼며 즐길 수 있도록 하고
싸라기 같은 시련은 이길 수 있는 지혜를...

## 독백

홀로 앉아 블랙커피 향기에 추억을 여행합니다
헤이즐넛 커피 한잔에 세월의 향기를 담아 봅니다

주마등처럼 새록새록 행복한 기억이 스치네요
밤하늘 은하수처럼 행복을 수 놓으며...

아른아른 기억은 스치는 행복의 향기인가요
커피 향처럼 슬며시 슬며시 곁을 떠나고 있네요

사방을 둘러보아도 함께하는 이 없고 홀로 있네요
휘어 청 밝은 달빛 아래 다람쥐도 홀로 침묵하네요

지그시 눈 감으며 행복의 기억을 회상해 봅니다
함박웃음보다 소소한 미소를 다시 찾으려 합니다

인생이란 무대에서 모노드라마를 연출해 철학,
도량, 생각 등 메아리 없는 독백을 즐겨 봅니다

**화재조사관의 낙서장(Ⅲ)**

발 행 | 2024년 07월 15일
저 자 | 이종인
펴낸이 | 한건희
펴낸곳 | 주식회사 부크크
출판사등록 | 2014.07.15(제2014-16호)
주 소 | 서울특별시 금천구 가산디지털1로 119 SK트윈타워 A동 305호
전 화 | 1670-8316
이메일 | info@bookk.co.kr

ISBN | 979-11-410-9515-4

값 11,100원
03810

ISBN 979-11-410-9515-4